大偵探福爾摩斯
SHERLOCK HOLMES
提升數學能力讀本

加減乘除 之 卷

匯識教育有限公司

大偵探福爾摩斯

好玩 易明

趣味數學

大家查案要「大膽假設,小心求證。」
身為偵探,首要仔細觀察,若掌握科學知識和數學邏輯,更事半功倍!
我為少年偵探隊度身設計《提升數學能力讀本》,大家要好好閱讀喔!

期待~

還記得嗎?福爾摩斯先生幫我們的朋友掙回工錢(註1)*,也曾救過我(註2)*呢!

＊1詳見《大偵探福爾摩斯⑯ 奪命的結晶》(數字的碎片) ＊2詳見《大偵探福爾摩斯⑫ 智救李大猩》(智破炸彈案)

《提升數學能力讀本》參考小學數學的學習範疇製作,共有六卷,大家可按自己的數學程度,隨意由任何一卷讀起。

這六卷書沒有深奧的數學理論及沉悶的說明,但有冒險故事、名人漫畫及數學的生活應用,令大家可以輕輕鬆鬆地投入數學知識的領域中。

—加減乘除之卷
—分數 • 小數 • 百分數之卷
—平面 • 面積之卷
—立體 • 體積之卷
—度量衡之卷
—代數 • 簡易方程之卷

內容精要

你知道嗎？我們每日都活在數學中啊！

六卷書都有不同的有趣題材，教大家用數學應對日常生活所需，例如購物及理財；也有輕鬆一下、激活腦筋的「智力題」。另外你還可製作數學遊戲跟同學一起玩呢！

$$cm^2 + - \times \div$$
$$\sqrt{\ } \quad \% = \quad LCM$$

生活數學

妙用數學幫你省錢省時，錯過了會後悔啊！

理財數學

儲蓄前想一想，用哪一種算法助你積少成多！

魔法數學

用數學推算，都可以猜到你的想法！

漫畫數學

看漫畫輕輕鬆鬆認識數學界名人！

數學趣話

不説不知！數學符號、公式及理論誕生的故事。

冒險故事

用數學去闖關的冒險故事，十分刺激啊！

腦筋運動營

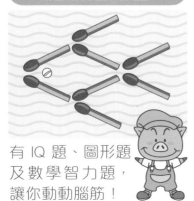

有 IQ 題、圖形題及數學智力題，讓你動動腦筋！

DIY 遊戲

每卷都有一款數學遊戲棋，自己製作，多人同玩，一起提升數學能力！

每卷書都會教你實用的「速算法」，可運用在學校功課和測驗中。

最後，M 博士會拋出一些應用練習題考驗各位，此時就可運用速算法了！

一起努力吧！

目錄 Contents

魔法學院米希羅

禁地裏的巨狼睡醒了！

插圖：KAI

夜深，在世界首屈一指的魔法學校——米希羅魔法學院附近的森林裏，出現兩個高速移動的身影，這兩個身影正是學院的學生。

跑在前面的金髮男孩，是運動一流的風紀隊員**馬克**。後面的女孩有一頭**烏亮**的長髮，臉上架着一副眼鏡，是風紀隊長兼高材生**莎貝拉**。

兩人正追趕一條約有1.5米長的**拉莫蜥**。這條拉莫蜥被利箭刺傷了尾巴，流出大量**鮮血**。馬克和莎貝拉路過看到，便想幫牠**療傷**。不過拉莫蜥很怕人，一見兩人便跑。

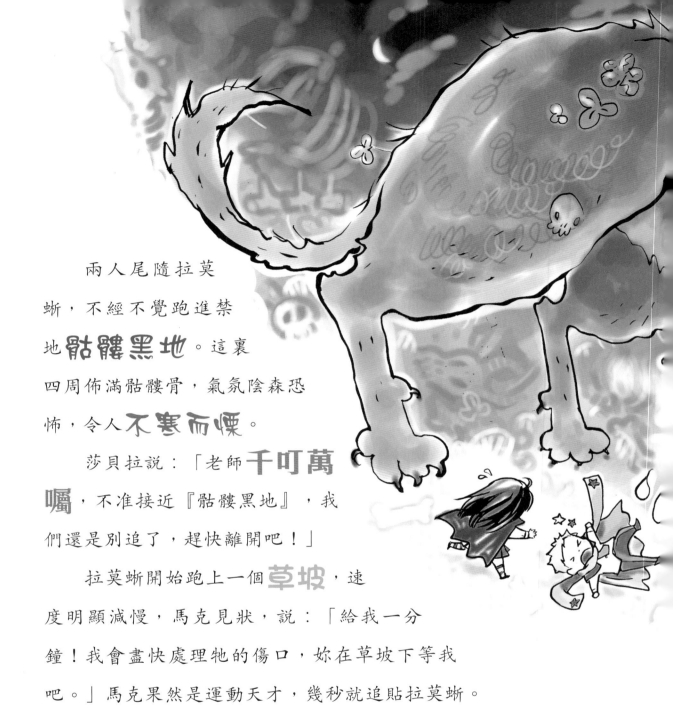

　　兩人尾隨拉莫蜥，不經不覺跑進禁地**骷髏黑地**。這裏四周佈滿骷髏骨，氣氛陰森恐怖，令人**不寒而慄**。

　　莎貝拉說：「老師**千叮萬囑**，不准接近『骷髏黑地』，我們還是別追了，趕快離開吧！」

　　拉莫蜥開始跑上一個**草坡**，速度明顯減慢，馬克見狀，說：「給我一分鐘！我會盡快處理牠的傷口，妳在草坡下等我吧。」馬克果然是運動天才，幾秒就追貼拉莫蜥。

　　馬克從暗袋取出一支魔法杖，唸出停頓咒語：「**天停停，地停停，拉莫蜥給我停！**」一束金光從杖尖射出，擊中拉莫蜥，令牠完全停下來。

　　馬克**小心翼翼**地拔走拉莫蜥身上的利箭，為牠包紮傷口，然後輕揮魔法杖，解除咒語，好讓拉莫蜥快快回家。

「**隆隆……隆隆……**」突然，草坡劇烈震動！馬克失去平衡，滾到草坡下，莎貝拉及時扶着他。兩人抬頭一看，才發現剛剛的草坡是一頭睡得正甜的**巨狼**！剛睡醒的牠緩緩站起，足足有 3 米高，嘴角不停流出**唾液**，飢餓的目光緊緊盯著馬克和莎貝拉。

「吼！」巨狼向兩人揮舞利爪！機靈的莎貝拉從地上抓一把沙，撒向牠的眼睛，令牠一時張不開眼，然後拉著馬克**拔足狂奔**。

9

　　兩人擺脫了巨狼，卻發現眼前是一個**深不見底**的深谷！

　　以馬克的經驗看來，這個**深谷約闊 20 米**。但即使馬克及莎貝拉出盡全力跳，也只能分別跳 6 米及 4 米遠。

　　幸好，馬克身上帶備了四顆魔法糖**跳跳豆**，每吃一顆跳跳豆，**跳躍力**可以在一分鐘內變成 **2 倍**。馬克說：「我們每人吃兩顆吧！那跳躍力就會變成 4 倍了！」

在不遠處，巨狼憑敏銳的嗅覺，找到馬克和莎貝拉，快速奔向他們的所在地。

巨狼的腳步聲愈來愈近，**心急如焚**的馬克正想吃下兩顆跳跳豆，卻被莎貝拉喝止：「**等一下！**」

「如果我們各吃兩顆跳跳豆，你可以跳 $6 × 2 × 2 = 24$ 米，但我只可以跳 $4 × 2 × 2 = 16$ 米。深谷闊 20 米，我跳不過去啊！」

「那現在該怎辦？」馬克**急得如熱鍋上螞蟻**。

「只要你吃掉全部四顆跳跳豆，然後背著我跳過對面就行了！」

話音剛落，巨狼已躍到兩人後面，張開**血盆大口**向兩人噬去。馬克連忙吞下四顆跳跳豆，背起莎貝拉，**咬緊牙關**，全力**一跳**！

馬克跳得**又高又遠**，最後在深谷的另一邊著地，逃過了巨狼的襲擊。

「我懂了！」馬克恍然大悟，「我把四顆跳跳豆全部吃下，如果我一個人跳，就會跳出：$6 \times 2 \times 2 \times 2 \times 2 = 96$ **米**。而妳和我的體重相同，剛才我背著你一起跳，體重就變

成 2 倍。因為我的跳躍力不變，即是說我剛才跳了
$96 \div 2 = 48$ 米。哇！我竟然跳得這麼遠！」

　　莎貝拉補充說：「一個數目自乘一次叫平方，例如 3^2。而一個數目自乘幾次的計算方法就叫連乘法或次方，例如 $3 \times 3 \times 3 \times 3$ 可以寫成 3^4，唸成 **3 的 4 次方**。「次方」會令數目急速變大，像你剛才跳遠一樣！」

　　馬克開玩笑說：「下次運動會，如果我悄悄吃下幾顆跳跳豆，再參加跳遠比賽，一定能打破紀錄了！」莎貝拉也一起笑着說：「你這樣做，不被取消資格才怪！」　　　　　　　　　　【完】

跳跳豆的威力：次方

故事中的「跳跳豆」，吃一顆令跳躍力變 2 倍，吃四顆變 16 倍，和數學中的「次方」一樣，自乘幾次後，令數目急速變大，十分驚人。

6×2×2 = 24 米

4×2×2 = 16 米

20 米

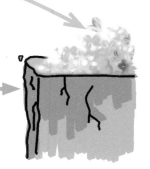

馬克和莎貝拉只能跳 6 米和 4 米。兩人一跳，一定會跌進深谷。如果他們每人吃兩顆跳跳豆，跳躍力會變成 4 倍，但莎貝拉仍跳不過深谷。

6×2×2×2×2 = 96 米

馬克吃 4 顆跳跳豆，在「次方」的連乘效果下，跳躍力變成 16 倍。如果他一個人跳，就能跳出 96 米！

96÷2 = 48 米

不過因為馬克背着體重相同的莎貝拉一起跳，所以只跳出一半距離即 48 米，但已足夠跳過深谷了。

趣味計算運動

　本章的幾道智力題有別於一般數式運算，一時不懂解答？別放棄！福爾摩斯和同伴們會給你提示，只要作不同嘗試，一定能發掘出答案！

運動一 骰子的背面

　翻到本書第 61 頁或第 63 頁，製作並觀察骰子。請問以下數字**背面**的總和是多少？

答案在第 18 頁

解難重點 計算 + 想像

小兔子用火柴砌出兩條算式，但兩條算式都算錯了。請在每條算式中各移動一枝火柴，讓兩條算式都變得正確。

提示：移動火柴後，兩條算式的頭一個數字相同。

算式 1

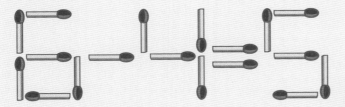

算式 2

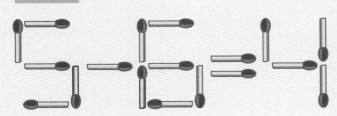

大家玩火柴好了，不要玩火呀。

運動三 拯救李大猩

解難重點 計算 +   觀察

M博士把李大猩困在一個數字迷宮中！迷宮中，只有3的倍數的方格是安全的，其他全都有陷阱。你能帶他到出口嗎？

3	15	59	52	11	79	84	93	30	6	24	31
74	51	45	63	90	50	18	92	46	28	12	19
23	64	22	17	78	2	36	38	7	41	51	57
58	1	43	37	33	27	21	44	16	55	70	96
76	34	56	80	29	67	8	77	49	82	26	87
14	86	5	47	61	72	81	39	15	60	42	9
83	62	73	35	94	66	20	32	4	53	10	85
69	18	75	99	48	3	68	13	65	25	30	71

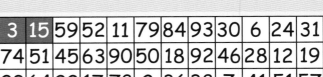 EXIT

＊不能打斜走！

運動四 沙漏的難題

解難重點 計算 ＋ 分析

李大猩要花 3 分鐘泡一個杯麵吃，恰巧時鐘和手錶都壞了，眼前有兩個沙漏，一個 7 分鐘，一個 11 分鐘。他怎樣才能計算出 3 分鐘，把杯麵泡得剛剛好呢？

提示 A：當 7 分鐘沙漏走完，11 分鐘沙漏還剩下 4 分鐘。你可以把 7 分鐘沙漏倒轉，多用一次。

提示 B：把沙漏想像成兩條算式：$11 - 7 = 4$ 和 $7 - 4 = 3$。

7 分鐘沙漏

11 分鐘沙漏

如果只用 7 分鐘沙漏，當沙流了一半，就一定會超過 3 分鐘。

泡得太久，麵條就會過軟，我要吃到口感完美的杯麵，一定要剛剛好泡 3 分鐘！

答案在第 18 頁

答案

細心觀察骰子，可發現 1 和 6 相對，5 和 2 相對，3 和 4 相對，所以各數字的**背面**如上。它們的總和是 6 ＋ 2 ＋ 5 ＋ 1 ＋ 4 ＝ 18

 9 － 4 ＝ 5
9 － 5 ＝ 4

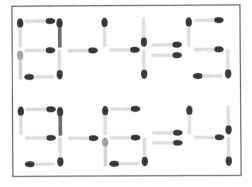

把灰色火柴移到藍色火柴的位置，算式就能成立。

運動三

3	15	59	52	11	79	84	93	30	6	24	31
74	51	45	63	90	50	18	92	46	28	12	19
23	64	22	17	78	2	36	38	7	41	51	57
58	1	43	37	33	27	21	44	16	55	70	96
76	34	56	80	29	67	8	77	49	82	26	87
14	86	5	47	61	72	81	39	15	60	42	9
83	62	73	35	94	66	20	32	4	53	10	85
69	18	75	99	48	3	68	13	65	25	30	71

運動四

過了 7 分鐘

過了 11 分鐘

11 分鐘沙漏 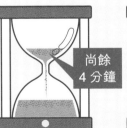 尚餘 4 分鐘

7 分鐘沙漏 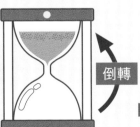 倒轉

11 分鐘沙漏  11 分鐘

7 分鐘沙漏  尚餘 3 分鐘

兩個沙漏同時開始計時，等 7 分鐘沙漏走完時，倒轉它。這時 11 分鐘沙漏尚餘 4 分鐘。

餘下的 4 分鐘走完後，7 分鐘沙漏尚餘 3 分鐘，這時加熱水進杯麵，就剛剛好泡 3 分鐘。

身份證號碼的數學

香港居民年滿 11 歲後須要申領兒童身份證，到年滿 18 歲則換領成人身份證，它是個人身份證明，要妥善保管。世界各地的居民身份證常見附有「核對碼」，給電腦核對證件號碼真偽。這個「核對碼」是可用數學公式計算出來的啊，大家來學習一下怎樣計算吧！

＊本頁身份證資料僅作教學用途，純屬虛構。

年滿 11 歲的香港兒童，必須在 11 歲生日後的 30 天內登記領取兒童身份證。若因居住海外而未能及時回港，則要在返港後 30 天內提出申請。

身份證號碼 的 核對碼

香港永久性居民身份證
HONG KONG PERMANENT IDENTITY CARD

Z123456

愛麗絲
OI, Lai See

1947 7787 2448

出生日期 Date of Birth
08-11-1997 女 F
***AZ
簽發日期 Date of Issue
（11-08）
26-11-18 Z123456(1)

※愛麗絲身份證上的資料僅作教學用途，純屬虛構。

2018 年 11 月起，香港推出新一代智能身份證，進一步加強防偽功能，相片也比原來稍大。

成人身份證有姓名、出生日期、性別、相片等個人資料外，右下角還有身份證號碼，身份證號碼是伴隨申請出世紙時隨機派出，在申請兒童及成人身份證時，都不會更改。

由一個或兩個英文字母開首。兩個字母（如 WX）常見於外籍勞工身份證。

身份證號碼 示例
→ Z123456 (1) ←

↑
六個
數字號碼

號碼後有括號的數字，就是給電腦核對前六個數字無誤的核對碼。

身份證英文字母含意

身份證編號不會重用，而英文字母代表某時期出生或發出的身份證，例如 S 是供 2005 年 4 月至 2019 年 5 月於香港的出生者使用。

其他生活常見編號的核對碼

除身份證外，國際書籍編號 ISBN、信用卡號（如 VISA、Master）及國際商品編碼（International Article Number）等都設核對碼，防止錯誤輸入。

如何計算核對碼

將身份證號碼的英文字母及六個數字，代入以下數學算式可算出核對碼，單看核對碼就知道身份證號碼是否正確。

將開首字母轉化為數值。

● 雙字母：如 AB，A 轉為 10、B 轉為 11。

● 單字母：如 A，A 視為第二個字母，其前方留空，計算上等於「□ A」，□（留空）轉為 58、A 轉為 10。

字母轉化數值 ● 對照表

A	B	C	D	E	F	G	H	I
10	11	12	13	14	15	16	17	18
J	K	L	M	N	O	P	Q	R
19	20	21	22	23	24	25	26	27
S	T	U	V	W	X	Y	Z	□
28	29	30	31	32	33	34	35	58

留空及字母

字母轉成數值後，按序乘以 9 及 8。

核對碼算式（一個字母）

□	__ ×9 = __
__	__ ×8 = __
__	__ ×7 = __
__	__ ×6 = __
__	__ ×5 = __
__	__ ×4 = __
__	__ ×3 = __
__	__ ×2 = __

全數相加

其餘數字

= 總數

進入步驟 2 及 3

試核對 Z123456 (1)

 步驟 1

留空及字母 此例只有一個字母，故當作「□ Z123456」，需補上留空（即□）的數字 58，隨後的 Z 轉化數字 35。

其餘數字 由左至右的數字，分別順序乘以 7、6、5、4、3、2，將結果相加為總數。

□	$58 \times 9 = 522$
Z	$35 \times 8 = 280$
1	$1 \times 7 = 7$
2	$2 \times 6 = 12$
3	$3 \times 5 = 15$
4	$4 \times 4 = 16$
5	$5 \times 3 = 15$
6	$6 \times 2 = 12$
	$= 879$

 步驟 2

將數字總和（示例：879）除 11，即 879 ÷ 11，盡除為 79，餘數是 10。

步驟 3

以 11 減去餘數，即 11 - 10 ＝ 1，這就是核對碼，所以愛麗絲的核對碼是 1，寫成（1）。

若最後核對碼數字是 10，就會變成（A）。

明年生日星期幾？

SUN	MON	TUE	WED	THU	FRI	SAT
		1	2	3	4	5
⑥	7	8	9	10	11	12
13	14	15	16	17	18	19
20	21	22	23	24	25	26
27	28	29	30	31		

　　明年生日是星期幾呢？大偵探福爾摩斯在小時候也想過這問題，他渴望每年1月6日（他的生日）都在星期日，不用考試，能一整天看書、做實驗和玩耍。

明年生日星期幾?

只要知道「今年」的生日是星期幾,用除法和餘數就能計算明年生日是星期幾!

看一看日曆不就知道了嗎?

我和福爾摩斯在1881年初相識,以下就用1881年的生日做例子吧!

1881年 一月 6 THURSDAY 星期四

福爾摩斯在 1881 年的生日(1 月 6 日)是星期四,這年和下一年都是「平年」,全年只有 365 天。

提示:星期四的 7 天後(一週後)仍是星期四,所以思考重點應放在「週」。

先找出 365 天 = 幾週。365 除以 7,等於 52 餘 1,可理解成「365 天 =52 週加 1 天」。

$$365 \div 7 = 52...1$$

週數　天數

因此,1881 年 1 月 6 日(星期四)的一年後即 52 週後加 1 天,要把星期四加 1 天,就是星期五。

如果想知道「去年生日星期幾」只要減 1 天就行了。

平年 與 閏年　1 年不只有 365 天!
(Common year)　(Leap year)

平年有 365 日,閏年有 366 日,多出來的一天分給日數最少的 2 月,所以 2 月在平年只有 28 日,在閏年有 29 日,這天又名閏日。

為甚麼閏年 多一天 ?

地球繞太陽公轉一圈,總時間約 365 天 5 小時 48 分,四捨五入,每年多出約 6 小時,6 小時 ×4 次 = 24 小時(即一天)。因此每四年就會多出一天。

明年生日星期幾？ 閏日篇

上頁的算式用 365 天來計算，但閏年有 366 天，那算式可以用在閏年嗎？

可以！因為閏日是多出來的一天，所以答案再多加 1 天就行。只要妳把算式的 365 天改成 366 天，就能驗證我的說法。

如果今年生日至明年生日之間，有跨過 2 月 29 日，也能用上頁的算式，但答案要多加 1 天閏日，即是將今年生日「星期幾」加 2 天。

我們和愛麗絲初結識在《大偵探福爾摩斯 ⑬ 吸血鬼之謎》，故事發生在 1896 年＊，剛好是閏年，以下就用 1896 年做例吧。

＊第 13 集沒有描述日期，大家可以翻閱第 36 集《吸血鬼之謎 II》尋找日期線索！

福爾摩斯在 1896 年的生日（1 月 6 日）是星期一，下個月就迎來「閏日」2 月 29 日，代表今年生日至明年生日之間有 366 天。

6th Jan 1896	29th Feb 1896	6th Jan 1897
生日	閏日	生日

1896 年
一月

6

MONDAY
星期一

用上頁的算式，可算出 366 天等於 52 週加 2 天。

$$366 \div 7 = 52...2$$

包含閏日　　週數　天數

真的呢！原來這麼簡單！

1896 年 1 月 6 日（星期一）的一年後，即 52 週後加 2 天，要把星期一加 2 天，就是星期三。

18 年後的生日
是星期幾？

一次計這麼多年，也能沿用之前的算式嗎？

可以！來活用上一頁的概念吧。

假設有位同學在 2022 年 2 月 1 日（星期二）生日，到底他 18 年後的生日，即 2040 年 2 月 1 日是星期幾？

❶ 一年 365 天等於 52 週加 1 天。那麼 2 年就要加 2 天，18 年就要加 18 天。

2022 年
十二月
1
TUESDAY
星期二

1 年 $365 \div 7 = 52...1$

天數每年加1，因累積 18 年，所以加 18 天。

18 年 $\underset{\times 18}{365} \div \underset{\times 18}{7} = \underset{\times 18}{52...1}$

嘿，可別混淆閏年和閏日啊！

❷ 跨過「閏日」要加 1 天。在未來 18 年，閏年有 2024、2028、2032、2036、2040 共 5 年，注意，他的生日在 2 月 29 日之前，沒有跨過 2040 年的閏日，所以只需加 4 天閏日。

算一算，多出來的天數（18 + 4）等於幾週？

$$(18 + 4) \div 7 = 3...1$$

❸ 答案是 3 餘 1，可理解成「3 週加 1 天」。因此 18 年後的生日要把星期二加 1 天，就是星期三。

番外篇 幾天後、幾天前是星期幾？

應用前面的方法，就能計算「幾天後」或「幾天前」是星期幾。

假設今天是星期五，如果想知道 100 天後星期幾，就要用右邊的算式：

餘數是 2，只要把星期五加上 2 天，就知道是星期日。

反過來說，如果想知道 100 天前是星期幾，就要把星期五減 2，即是星期三。

$$100 \div 7 = 14...2$$

100 天前
−2

今天

100 天後
+2

| 星期三 Wednesday | 星期五 Friday | 星期日 Sunday |

華生，在上兩頁，為甚麼你知道哪些年是閏年？

我是用除法計算出來的！

怎樣知道某年是否閏年？

年份能被 4 整除，就是閏年。如果年份能被 100 整除，它也必須能被 400 整除，才算閏年。例如 2000 年是閏年，但 1800 年和 1900 年都不是。

| 《吸血鬼之謎》故事發生 | 閏年 → $1896 \div 4 = 474$ |

1881 是奇數，一看就知道不能被 4 整除！

| 福爾摩斯和華生初相識 | 平年 → $1881 \div 4 = 470...1$ |

| 福爾摩斯出生年份 | 平年 → $1854 \div 4 = 463...2$ |

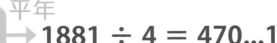

要留意，就算是偶數也不一定能被 4 整除。

生活中的數學

世界盃賽事

在〈科學鬥智短篇：血的預言〉* 中，提及用數學「淘汰理論」，偵破騙子用淘汰賽的篩選法去行騙。

現在「淘汰理論」常用於競技運動，你知道 2022 年世界盃（FIFA World Cup）決賽周要進行多少場賽事嗎？

* 詳見《大偵探福爾摩斯⑭ 縱火犯與女巫》（血的預言）

亞洲首辦世界盃是 2002 年日韓世界盃，在「日本足球博物館」，可看到當年日本隊隊員圍圈振奮士氣的場面。

2022 年國際足協世界盃
FIFA World Cup Qatar 2022

相隔 20 年，2022 年世界盃再由亞洲國家舉辦，因亞洲某些地區夏天氣溫可高達攝氏 50 度，為保障球員健康，決賽周改訂於 2022 年 11 月 21 日至 12 月 18 日舉行。

2022 年世界盃決賽周的 32 隊球隊分成 8 組，每組 4 隊進行單循環計分賽。最後篩選 16 隊晉級到淘汰賽，直至冠軍隊誕生。

分組賽的單循環制

Single round-robin tournament

假設英格蘭、法國、巴西及意大利在分組抽籤後，在決賽周同組，四隊球隊將會進行右方賽事：

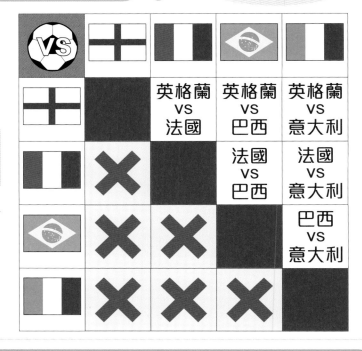

圖例　■ 不適用　✖ 比賽重複

優點 每隊要跟同組隊伍作賽一次，計算整體成績出線，避免一場敗陣即出局。

缺點 比賽場數多，需時長。

以往有球隊在分組賽敗陣，但最終奪冠啊！

4 隊一組單循環分組賽 • 組場數

參賽隊 × （參賽隊 - 1）÷2 = 單循環比賽每組場數
4 × （4 - 1）÷2 = 6（場比賽）

32 隊（4 隊一組）單循環分組賽 • 總場數

單循環比賽每組場數 × 分組數 = 單循環比賽總場數
6（場比賽）× 8（個分組）= 48（場比賽）

雙循環制 (Double round-robin tournament)

決賽周之前的「外圍賽」採用雙循環制，每隊跟同組隊伍在自己的球場（主場）及對方的球場（客場），作賽各一次，以上例子就是每組 6 × 2 = 12 場比賽。

分組賽 的 同分

1994 年分組賽 E 出現史上首次全組同分！

決賽周分組賽 1994 年起將計分法訂為：勝出 3 分、和局 1 分、敗陣 0 分，沿用至今。不過，同屆就發生了同組球隊「得分」及「得失球」都相同的罕有賽果。

得分計法
3 × 勝出場數＋1 × 和局場數 3 ＋ 0 × 敗陣場數

| 巴西 | 3 戰：2 勝 1 和 0 敗
3 × 2 + 1 × 1 + 0 × 0 = 7 分 | 示例 |

出線排名	隊伍	比賽	勝出	敗陣	和局	得球	失球	得失球	得分
NO.1	墨西哥	3 場	1 場	1 場	1 場	3 球	3 球	0 球	4 分
NO.2	愛爾蘭	3 場	1 場	1 場	1 場	2 球	2 球	0 球	4 分
NO.3	意大利	3 場	1 場	1 場	1 場	2 球	2 球	0 球	4 分
NO.4	挪威	3 場	1 場	1 場	1 場	1 球	1 球	0 球	4 分

同組內常出現隊伍同分，大會用「得失球差」比較同分隊伍，正數越大者勝。

四隊同分
3 戰：1 勝 1 和 1 敗
3 × 1 + 1 × 1 + 0 × 1 ＝ 4 分

得失球差　得球－失球＝得失球

	3 - 3 = 0
	2 - 2 = 0
	1 - 1 = 0

得分、得失球甚至得球三項都一樣的愛爾蘭及意大利怎辦？

分組比賽

意大利　VS　愛爾蘭
0：1

再看兩隊的分組賽果，由於愛爾蘭勝出，愛爾蘭排名 No.2，意大利 No.3。

這次四隊得失球差也相同，那麼就純粹比較「得球多寡」，墨西哥以 3 球成為 E 組首名。

29

在淘汰賽中，勝者晉級、敗者出局。兩隊 90 分鐘打和，會再加時比賽，維持打和時再踢 12 碼射龍門決勝。

十六強 的 淘汰制

Knockout tournament

在淘汰賽中，除冠軍隊外，其餘負隊都被淘汰，因此可速算到比賽數目將會是「參賽隊伍 -1」。

參賽隊伍 - 1 = 淘汰賽比賽場數
16 - 1 = 15

四強賽（準決賽）中敗隊仍要參加「季軍賽」，所以還有一次比賽。

冠軍決賽

季軍

四強負隊　　　四強負隊

準決賽　　　　　　　　　準決賽

半準決賽　半準決賽　　　半準決賽　半準決賽

A1 B2 C1 D2　E1 F2 G1 H2　　B1 A2 D1 C2　F1 E2 H1 G2

決賽
四強
八強
十六強

A隊 B隊  C隊 D隊 E隊 F隊 G隊 H隊 Y隊 Z隊 K隊 Q隊

2022 年世界杯決賽周賽事總數有 64 場。

整個世界盃決賽周·賽事總數
分組賽場數＋淘汰賽場數＋季軍賽
48 ＋ 15 　　　＋ 1 　 ＝ 64

大型賽事常先行分組賽，再行比賽場數較少的淘汰賽。世界盃淘汰賽常安排分組賽某組首名，對戰別組較弱的次名，讓強隊容易晉級。

2026 World Cup 新賽制

2026 年世界盃決賽周的分組賽名額增至 48 隊，分成 16 組（每組 3 隊），最後取每組首兩名晉級，即 32 隊進行淘汰戰。在此新制下，總共要打 80 場比賽。

30

解構八達通

八達通（Octopus）在 1997 年 9 月啟用，它是香港首個非接觸式電子收費系統，由早期用作繳付鐵路、巴士、小巴等交通費，經多年發展為購物等多功能電子貨幣卡，成為市民生活必需品。

八達通名稱的數學

【四通八達】

四字成語，一般形容交通道路暢行無阻。

【Octopus】

八爪魚的英文名稱，除帶出八爪魚的「八」字之外，也用八爪魚觸腕可同時抓東西及伸向四方，比喻八達通的用途廣泛。

八達通
Octopus

【莫比烏斯帶】

標誌概念源於德國數學家莫比烏斯（Möbius，1790~1868），發現將一條紙帶旋轉半圈後粘上兩端，成為莫比烏斯帶（Möbiusband）。形狀像數字「8」及符號「∞」（無限），呼應了中文「八」及「四通八達」。

* 有關莫比烏斯帶的細節，可參考本系列《平面 • 面積之卷》的介紹。

現在最流行的八達通仍然是實體卡，實體卡最常見為租用版，小學生都大多使用租用版，租用版又分不記名及記名的「個人八達通」。其他有主攻遊客的銷售版，以及八達通與銀行聯營的信用卡版。

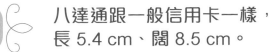

八達通技術

八達通跟一般信用卡一樣，長 5.4 cm、闊 8.5 cm。

天線 八達通卡的邊緣內置天線，能和八達通讀卡機在 3 至 10 厘米範圍內，互相感應從而處理交易。

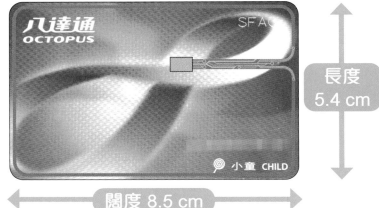

長度 5.4 cm

闊度 8.5 cm

八達通卡內置天線及晶片，無論摺曲、切割、塗污或貼上貼紙，都會損毀八達通的功能。

IC 晶片 中間部分有一塊微型晶片，小小的晶片儲存着資料。

註：結構圖只供參考，所示部件位置及大小與實物會有所偏差。

八達通的電子收費系統

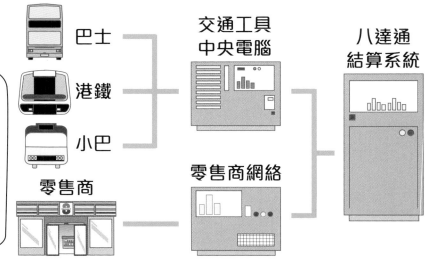

巴士

港鐵

小巴

零售商

交通工具中央電腦

零售商網絡

八達通結算系統

交通工具營運商及商店每天透過各自的中央電腦，集合顧客消費及增值資料後，傳送到八達通結算系統核實及整合，在每天結算後均會獲得一份詳細的結算報表。

八達通的四則計算

先乘除 後加減

　　持卡者每次拍八達通卡消費或增值時，均可從讀卡機知道卡內餘額。愛麗絲每天上學至回家，需要乘巴士來回，以及到便利店購買早餐，假設她的八達通餘下 HK$20，這次她增值 HK$100，卡內餘額仍可用於上學多少天呢？

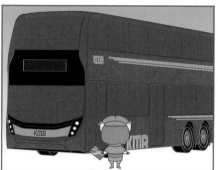

增值後卡值 ⟶	$20（餘額）＋ $100（增值）
每日上學消費 ⟶	$5 × 2（乘巴士來回）＋ $20（早餐）

$$增值後可用日子 = \frac{\$120（卡值）}{\$30（每日上學消費）} = 4（上學日）$$

先計括號內算式 用括號來區分計算先後

　　八達通也有「找續增值服務」，在提供此服務的超市或商店消費，客人用現金付款時，可將找續轉為八達通增值額，減少持有零錢。

　　房東太太與愛麗絲一起到超市買食材，消費 HK$168，房東太太付上 HK$200，並將找續轉給愛麗絲的八達通卡（餘額 $20），最後愛麗絲擁有多少卡值？

$$\$20 + (\$200 - \$168)$$

餘額　　　　現金付款　　消費

$$\$20 + \$32 = \$52$$

餘額　　　找續　⟶　增值後卡值

八達通的正與負

正數指大於 0 的數字，例如 0.1 > 0、2 > 0；
負數指小於 0 的數字，例如 - 0.1 < 0、- 2 < 0；
0（零）是特別數字，不是正數，也非負數。

若果八達通餘額仍是正數（HK$0.1 或以上），但不足以支付下一個交易款項，只要交易後其負數不超過 HK$35（舊卡）或 HK$50（新卡），卡主仍可拍卡付款。

當該八達通卡餘額為 0 或負數便不能使用，直至卡主為它增值為正數，方可再用。

 可以！ $12.2（餘額）- $60（購物）
= -$47.8 < -$50

 不可以！ $4.2（餘額）- $60（購物）
= -$55.8 > -$50

若果李大猩手持不能自動增值的八達通，雖然同是購買 HK$60 的產品，但能否拍卡要視卡上餘額而定。

計算退款

華生打算退回一張不再用的租用版八達通卡，他能退回多少錢？

 定期用卡

2017 年 10 月 1 日或之後發出的租用版成人八達通，三年內並無增值或拍卡支付，便成為「不常用八達通」，每年會扣取 HK$15，所以要定期用卡。

退還一張租用版八達通（沒有損毀）
- $2（餘額）+ $50（按金）= $48

謹慎退卡

遇到以下三種情況：
❶ 若發卡後 90 日內就退卡；
❷ 八達通的交易僅 5 宗或以下；
❸ 卡內餘額高於 HK$1000。
卡主須另付 HK$11 手續費或餘額的 1%，以較高者為準，所以也不好隨便退卡。

加減乘除讀心術

　　M博士自稱有神秘力量，可用讀心術看透別人的心思，你們相信嗎？來看看他這次的把戲是甚麼吧！

我來表演一個讀心術，有請少年偵探隊的隊長小兔子幫忙！請在紙上隨意寫一個**整數**，別讓我看到！

唔⋯就寫 12 吧！

❶把數字加 1。

$$12 + 1 = 13$$

❷把答案乘以 2。

$$13 \times 2 = 26$$

❸把答案加 4。

$$26 + 4 = 30$$

❹把答案除以 2。

$$30 \div 2 = 15$$

❺將答案減去最初決定的數字。

$$15 - 12 = 3$$

只要明白背後的數學原理，誰也能玩這種「魔術」。

你得出的答案是 3！對不對？

3

猜對了！難道 M 博士真的能讀心？

無論選擇甚麼數字，只要按照❶至❺的步驟計算，最終答案都一定是 3。以下配合簡單算式，逐步剖析：

各人選擇的數字都不同，本頁寫成 ? 代表該數字

讀心術步驟	換成算式

❶把數字加 1。

? ＋ 1

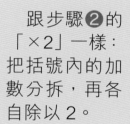
把括號內的加數分拆，兩個數字先各自乘以 2，然後才相加。

（ ? ＋ 1）× 2
＝ ? × 2 ＋ 1 × 2
＝ 2 × ? ＋ 2

❷把答案乘以 2。

❸把答案加 4。

2 × ? ＋ 2 ＋ 4
＝ 2 × ? ＋ 6

跟步驟❷的「×2」一樣：把括號內的加數分拆，再各自除以 2。

❹把答案除以 2。

（2 × ? ＋ 6）÷ 2
＝ 2 × ? ÷ 2 ＋ 6 ÷ 2
＝ ? × 2 ÷ 2 ＋ 3
＝ ? ＋ 3

將 2× ? 改寫成 ? ×2，一目瞭然，可馬上 ÷2。

❺將答案減去最初決定的數字。

? ＋ 3 － ?

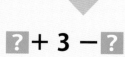
原來如此！
難怪最終答案一定是 3！

腦筋運動營

挑戰趣味智力題

看完一堆算式，會不會感到頭昏腦脹？來玩玩智力題，幫腦筋鬆一鬆，突破數字的框架吧！別讓算式限制邏輯思維啊！

運動一 一年的中心

解難重點 計算 ＋ 分析

平年有 365 天，有一天位於全年的正中間，那一天是幾月幾日？看看家中的月曆，數一數！

幾月幾日

？

提示：
1 至 9 的正中間是 5，可以想像成：
（1 ＋ 9）÷ 2 ＝ 5

38 答案在第 42 頁

運動二
打開神秘禮物盒

解難重點 推理 + 圖形理解

愛麗絲，我送妳一份禮物，但要答對問題，才能打開！

禮物盒上有一個空白的圓形圖，要填上正確的顏色，才算答對。

請根據圖A中3個圓形圖的色塊變化，猜出接下來的紅色和橙色分別在哪一格？

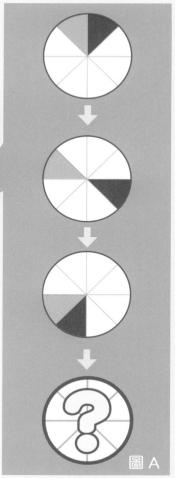

圖A

嘻，怎會難到本小姐？
提示：
紅色格向順時針方向移動，
橙色格向逆時針方向移動。

答案在第 42 頁

39

運動三 數字密碼鎖

解難重點 計算 + 分析

M 博士把狐格森關在一個牢房，你要輸入密碼，才能開門救人，門鎖密碼是 abc，試根據 M 博士留下的直式加法，找出 abc 代表甚麼數字。

$$
\begin{array}{r}
1a2cb \\
+\ 12ac4 \\
\hline
27890
\end{array}
$$

運動四 小兔子買雪糕

解難重點 推理 + 分析

小兔子、愛麗絲和李大猩一起去買雪糕，店內只賣剩草莓和巧克力兩種味道，憑下面的 3 個線索，你猜猜他們各自買了甚麼雪糕？

線索 ❶

如果小兔子買了巧克力味，愛麗絲就會買草莓味。

巧克力味　　　　　草莓味

線索 ❷

小兔子和李大猩不會二人都買巧克力味。

線索 ❸

愛麗絲和李大猩不會二人都買草莓味。

答案在第 42 頁

運動五 奪寶奇兵

圖像化
思考

福爾摩斯利用鑽石探測器，發現有一粒巨型鑽石藏在軟膠管中，兩端都是出口。鑽石兩旁各有 3 個炸彈，炸彈一旦離開膠管就會爆炸。

在不剪開軟膠管的情況下，福爾摩斯怎樣才能把鑽石拿出來呢？

提示：
膠管十分柔軟，只要同時拿起兩端，就能彎曲成圓形。

運動六 火柴陣

圖像化
思考
＋
想像

火柴陣內有一顆糖果。在不改變火柴陣形狀的情況下，你能否只移動 2 根火柴，就把糖果移到火柴陣以外？

提示：
輕輕平移其中一根火柴，再移動另一根，就能把「Y」字上下倒轉。

答案在第 42 頁

答案

運動一

1 至 365 天的正中間是（1 ＋ 365）÷ 2 ＝第 183 天，由 1 月順序減去每月之日數，就能計算出 7 月 2 日。

運動二

紅黃格各自有移動規律：紅色格每次順時針走 2 格，橙色格每次逆時針走 1 格。

所以第 4 個圓形圖的紅黃格位置如下：

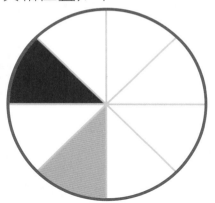

運動三

PASSWORD
569

密碼是 a=5，b=6，c=9。

運動四

試分別假設小兔子買巧克力味或草莓味，再根據 3 個線索去推算，就知道：小兔子點了草莓味，愛麗絲和李大猩都點了巧克力味。

運動五

將軟膠管圍成一個密封的圓形，就能慢慢把鑽石移動至出口。

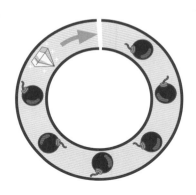

運動六

將灰色火柴移到藍色的位置。

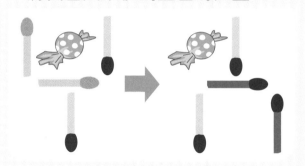

學習記賬・儲蓄之道

媽媽給我零用錢及收支表，叮囑我要記下收入與支出。最初我覺得很麻煩，後來明白到媽媽是在教我如何用錢，用心良苦。

有了收支表，她知道你的零用錢去向，大家建立了信任基礎，便樂意繼續給你零用錢了！

 # 記賬的好處

小時候，媽媽教我要用收支表或收支簿記賬，除了媽媽可隨時查閱外，我也可定期檢討哪裡太浪費，方便預算將來開銷。我跟媽媽要求增加零用錢時也有理據了！

另外，參考以往的收支數據，我就能訂立預算，把部分零用錢儲起，在節日時買玩具及零食，也可捐獻零錢給公益團體。

一起學記賬

現在大人多用手機記賬程式記錄開支，對記賬簿需求大減，所以在文具店較難找到實體版記賬本。其實大家可自製兒童版收支表，能記錄下列數據便可。

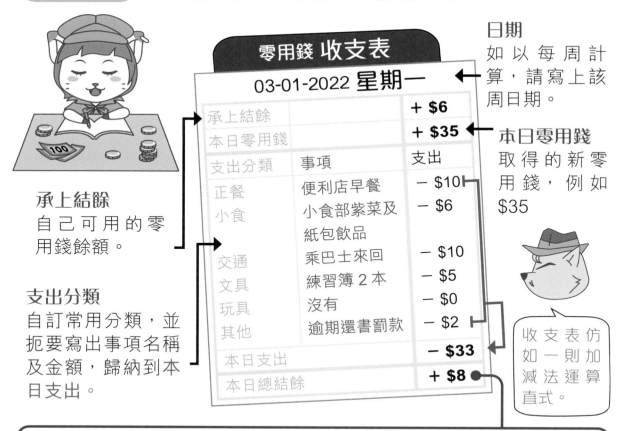

零用錢 收支表

03-01-2022 **星期一**

承上結餘		+ $6
本日零用錢		+ $35
支出分類	事項	支出
正餐	便利店早餐	− $10
小食	小食部紫菜及紙包飲品	− $6
交通	乘巴士來回	− $10
文具	練習簿 2 本	− $5
玩具	沒有	− $0
其他	逾期還書罰款	− $2
本日支出		− $33
本日總結餘		+ $8

日期
如以每周計算，請寫上該周日期。

本日零用錢
取得的新零用錢，例如 $35

收支表仿如一則加減法運算直式。

承上結餘
自己可用的零用錢餘額。

支出分類
自訂常用分類，並扼要寫出事項名稱及金額，歸納到本日支出。

承上結餘＋（本日零用錢－本日支出）＝本日總結餘
計算**本日零用錢－本日支出**部分，知道今日節省還是多付了。再加**承上結餘**，就知道手上還剩多少零用錢。

看收支 懂理財

零用錢 收支表

04-01-2022 星期二

承上結餘	03-01-2022	+ $8
本日零用錢		+ $35
支出分類	事項	支出
正餐	便利店早餐	− $10
小食	小食部紫菜	− $1
交通	乘巴士來回	
文具	沒有	− $0
玩具	小禮物	− $20
其他	慈善捐款	− $1
本日支出		− $42
本日總結餘		+ $1

合理增加零用錢！
媽媽從每日收支表發現必要支出增加，例如巴士車費或學校小食部食物加價，若果不能減少其他支出，就會給我多一點零用錢。

分配零用
雖然今日狐格森比星期一省去文具及小食支出，但仍然入不敷出（超支）：

$$\$35\,(零用) - \$42\,(支出)$$
$$負數 = -\$7$$

動用儲備
狐格森因不夠金額消費本日支出，所以動用了前日的結餘（儲蓄），結果本日總結餘只剩下 $1。

你買了 $20 的小禮物，所以今日才超支啊！真的有需要買這小禮物嗎？

其實這是感謝媽媽的小禮物！所以我動用了前日結餘，明日會維持像星期一的「收支平衡」了。

八達通 與 現金

學生上學持有「不記名」租用版八達通，然後家長為八達通增值，用作支付交通費及用膳開支。
若學校小食部只收現金，或擔心忘記為八達通增值，大家隨身攜帶小量零錢現金都算穩當。

八達通

+

下一頁
大偵探福爾摩斯・收支表

收支表示例

當八達通餘額所剩無幾，狐格森憑此收支表，要求爸爸為八達通增值便合情合理。

優秀的理財者絕非守財奴，也不亂花錢，訂立消費目標，就較易把錢用在合適的地方。

狐格森 的收支表　日期 07/12 ～ 11/12

參考分類　A 交通 / B 文具 / C 正餐 / D 零食 / E 玩具
　　　　　F 閱讀 / G 公益 / H 其他

日期	類	項目	存入 八達通	存入 現金	支出 八達通	支出 現金	餘下 八達通	餘下 現金
		上周結餘	— —	— —	— —	— —	$10	$20
16/11	M	爸爸增值	$100				$110	
16/11	C	學生午餐			$40		$70	
16/11	X	幫媽媽買麵包 ◀			$10		$60	
16/11	A	港鐵來回車費			$7.2		$52.8	
17/11	M	爺爺給玩具獎金		$40				$60
17/11	C	餃子午餐			$50		$2.8	
17/11	D	扭蛋				$30		$30

用八達通幫媽媽購物後，然後在此記錄下來，方便之後翻查，媽媽便不會誤會我「突然」用了很多錢。

合計

今期消費目標

吃到一餐鐵板羊架 $98
跳舞電視遊戲 $200

去主題公園玩一天
兒童入場門票 $450

本周

八達通結餘　現金結餘

訂立消費目標

每月訂下消費意慾目標，便可預計節省多少，盡快達成心願！

項目	內容	心情	格價	決定
1	鐵板羊架餐	吃不到也可	A 店 $108　B 店 $128　昂貴！	改吃學生餐
2	跳舞遊戲軟件	想玩	A 店 $200　跟朋友交換免費 ▶	跟朋友交換
3	主題樂園門票	非常期待	網上訂票 $450　A 代理店 $430	全力省錢，去主題樂園！

_____ 的收支表　日期 _____

參考分類　A 交通 / B 文具 / C 正餐 / D 零食 / E 玩具
F 閱讀 / G 公益 / H 其他

日期	類	項目	存入		支出		餘下	
			八達通	現金	八達通	現金	八達通	現金
		上周結餘						
		合計						

今期消費目標

本周

八達通結餘

Bank

現金結餘

_____ 月的消費目標

謹慎理財！

項目	內容	心情	格價	決定
1	例：模型	A 最想擁有！ B 有就高興了 C 擁有無妨	A B 其他	A 盡快享用 B 安排儲蓄計劃 C 擱置
2		A 最想擁有！ B 有就高興了 C 擁有無妨	A B 其他	A 盡快享用 B 安排儲蓄計劃 C 擱置
3		A 最想擁有！ B 有就高興了 C 擁有無妨	A B 其他	A 盡快享用 B 安排儲蓄計劃 C 擱置
4		A 最想擁有！ B 有就高興了 C 擁有無妨	A B 其他	A 盡快享用 B 安排儲蓄計劃 C 擱置
5		A 最想擁有！ B 有就高興了 C 擁有無妨	A B 其他	A 盡快享用 B 安排儲蓄計劃 C 擱置

開立兒童戶口

儲蓄 / 存款

當儲到一筆零用錢或收到新年利是，大家可考慮跟家長一起到銀行，開立兒童儲蓄戶口及存款。

「小莫小於水滴，匯成大海汪洋；細莫細於沙粒，聚成大地四方。」昔日香港有一首儲蓄歌，都是這樣唱喔！

兒童儲蓄戶口

香港的兒童儲蓄戶口眾多，大部分以卡通角色迎新贈品、不收取月費招徠，最低開戶金額由不設下限至 HK$1000 不等。

兒童儲蓄戶口常見存款卡、存摺簿甚至 e-banking 網上理財，一般以存款卡居多。大家可開立兒童戶口，這有助體驗銀行理財，例如存款和派息，派息的概念可參考本書系列《分數・小數・百分數之卷》介紹。

數學趣話

＋－×÷是誰發明的？

　　文字是慢慢發展出來的，數學符號也一樣。當初，數學家用文字表達＋－×÷的概念，他們大量計算，就要大量寫「加」、「等如」等文字，數學家嫌這樣很麻煩，於是創造數學符號，表達運算概念。

＋與－的起源

早在 15 世紀，據傳人們最先用 p 和 m 代表加和減，它們是拉丁文 plus（加）及 minus（減）的縮寫，例如：2p3 的意思是 2＋3，9m8 的意思是 9－8。

不久之後，據傳商人將「＋」和「－」刻在貨箱上，代表該箱比標準更重或更輕。文藝復興時期，意大利藝術家達文西（Leonardo da Vinci，1452-1519）也曾在作品中使用「＋」和「－」號。

＋與－正式擠身數學界

這對符號首次出現在數學領域是在 1489 年，德國數學家維德曼（Johannes Widmann，1460-1498）出版數學書，使用「＋」與「－」表示加減，並應用在利潤和虧損的話題上。

自此，各地數學家都覺得這對符號很方便。在法國數學家韋達（Franciscus Viete，1540-1603）的大力宣傳和提倡下，「＋」與「－」在 1603 年成為公認的數學符號。

維德曼·德國數學家
＊維德曼：亦有人稱作魏德曼

×的創造

奧屈特·英國數學家

「×」由英國數學家奧屈特（William Oughtred 約 1574-1660）發明。他喜愛創造數學符號，在 1631 年的著作《Clavis Mathematicae》（數學之鑰）首次用「×」表示乘法。

＊奧屈特：亦有人稱作奧特雷德

÷ 的誕生

中世紀的**阿拉伯**，數學相當發達，例如數學家阿爾·花拉子米（Al-Khwarizmi，約 780-850）把「2 除以 3」寫成 2/3 或 $\frac{2}{3}$，分數也是由此而來。

符號「÷」的誕生有以下兩種說法：

❶ 在 1630 年，由英國數學家約翰·比爾（John Pell，1611-1685）在著作中初次使用，有人估計這個「÷」是由阿拉伯人的除號「—」和比例記號「：」合拼而成的。

❷ 在 1659 年，由瑞士數學家雷恩（Johann Rahn，1622-1676）初次使用，所以也有人稱「÷」號為雷恩記號。

古代希臘和印度的人都很熱愛數學呢！

古代中國的數學也很厲害，祖沖之的「圓周率」計算法影響深遠呢！

你們別忘了我啊！

＝ 的由來

英國數學家**雷科德**（Robert Recorde，約 1510-1558）在 1557 年的著作《The Whetstone of Witte》（**礪智石**）記述他**煩厭**工作時反複寫 is equalle[*] to（等於），便用「＝」代替，他在書中指**兩條等長的平行線**最能表示相等的意思。「＝」直到 18 世紀才普及。

*原著以古典英文寫成，equalle 即現代英文 equal

DIY 遊戲工程

四則運算桌上遊戲

　　這個 DIY 算術遊戲規則易明，也同時結合娛樂及競技元素，遊戲只須用加、減、乘、除計算法，計算的數目都在 100 以內，玩家在遊戲中只要善用技巧及策略，若果還有運氣，就不難勝出。

　　我們為大家介紹四種玩法，快快動手製作，體驗計算的樂趣吧！

材料

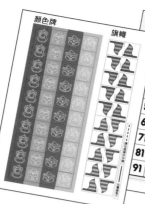

本書提供的紙樣

自備剪刀

自備膠水

制作方法

製作時間：40 至 60 分鐘　難度：★★★☆☆

遊戲板

遊戲板（左）

遊戲板（右）

① 剪下遊戲板紙樣。

② 在遊戲板（右）的黏合處塗上膠水，然後合併遊戲板（左）。

骰子

沿紙樣剪下，然後沿虛線向外摺，塗膠水黏合。

顏色牌

沿紙樣剪下即可。

旗幟

沿紙樣剪下，然後沿虛線向外摺便成。

下一頁
遊戲規則

完成！

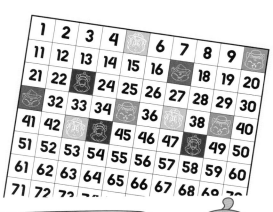

4 大有趣玩法

玩法一 爭分奪冠 2至4人玩

利用 4 顆骰子及加減乘除，隨意計算出 100 以內的數目，數字越大，得分越高，累積最高分者獲勝。

步驟 1 遊戲開始！
玩家先挑選一種顏色牌，然後輪流擲出 4 顆骰子。
利用擲出的點數，隨意用加、減、乘、除，計算遊戲板上的數字。

若擲出 2、3、4、6，可算出例子 →

用除法時，要確保數字可除盡。你還可以用括號計算，其他三個玩法也可依照這些規則。

$$6 \times 3 \div 2 - 4 = 5$$
$$2 + 3 + 4 + 6 = 15$$
$$(6 + 3) \times 4 \times 2 = 72$$

步驟 2 計算出來的數字，就是玩家取得分數。

例 (6 + 3)×4×2 = 72

步驟 3 玩家在該「數字」位置上，擺放自己的顏色牌表示佔據及取分，可在同一數字上多次取分；惟獨不能在對手佔據的數字位置取分。

孖寶對戰！

步驟 4 當所有玩家的 10 塊顏色牌全都放在遊戲板上，然後計算總分，最高分者勝出。

狐格森	分數	李大猩	分數
61 91 28 59 23		72 72　19 48　31	
78 80 23 96 10		65 99 100 21　52	

 549

WIN! 579

玩法 二 運算輪流轉 2至4人玩

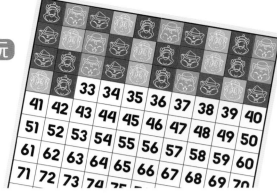

由 1 開始順序輪流計算，玩家 A 算不出正確數字，就轉由玩家 B 計算。

要把握每次計算機會，盡快用完手上所有顏色牌，爭取勝利！

步驟 1 眾玩家各選顏色牌，然後輪流擲出 4 顆骰子。假設 3 人對戰，玩家 A 擲出點數後，隨意用加、減、乘、除計算出 1，然後把顏色牌放在遊戲板上。

步驟 2 之後玩家 B 擲骰，隨意用加、減、乘、除計算出 2，再把顏色牌放在遊戲板上，玩家 C 要計算出 3，接著第一人要算出 4，如此類推。

	2	3	4	5
11	12	13	14	15
21	22	23	24	25

		3	4	5
11	12	13	14	15
21	22	23	24	25

			4	5
11	12	13	14	15
21	22	23	24	25

				5
11	12	13	14	15
21	22	23	24	25

步驟 3 遊戲中若有玩家算不出自己的數字，可說「Pass」，計算權自動轉到下一位玩家，玩家可直接算出或重新擲骰算出答案。計算權可以一直轉移，直至有玩家算到答案為止。

在紙牌遊戲上，英文「Pass」解「放棄該回出牌機會」。

示例

李大猩擲骰後未能計算出 16，他說「Pass」，計算權轉移到狐格森。狐格森同樣算不到，他說「Pass」，計算權再轉移到華生，如此類推，直至有玩家算出答案為止。

計算權轉移

我計算到啊！

Pass

16

Pass

計算權轉移

步驟 4 最先用完手上 10 塊顏色牌的人就是勝利者。

資深玩法 熟習了玩法之後，可以試試由大一點的數目開始這個遊戲，例如 11、21、31…

玩法 三 圍城攻略 （2人玩）

福爾摩斯對戰狐格森：他們各自用4塊顏色牌圍着1個數字，建立領土，數字越大，得分越高，累積最高分者獲勝。

步驟 1

 ×10

 ×10

 ×5

福爾摩斯挑選紅色及橙色的顏色牌各 10 顆，以及橙紅色旗幟 5 塊。

 ×10

 ×10

 ×5

狐格森挑選藍色及綠色的顏色牌各 10 顆，以及藍綠色旗幟 5 塊。

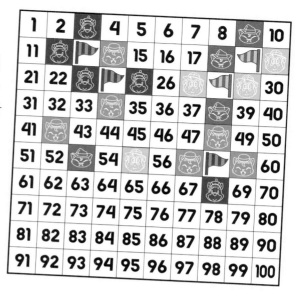

步驟 2

然後輪流擲出 4 顆骰子，利用擲出的點數，隨意用加、減、乘、除，計算遊戲板上的數字。

旗幟終於大派用場了！

步驟 3

福爾摩斯用 4 顆顏色牌包圍 1 個數字，就把自己的旗幟放在那數字上，形成「十字形」領土，並取得中央數字（分數），數字越大，分數越高。

取得 13 分

步驟 4

當雙方的 20 塊顏色牌，全都放在遊戲板上後，大家即可計算自己領土的總分數，最高分者勝出。

旗幟

圍城方法及的擺放規則

圍城方法一覽

正確示例

以下 2 個方法，數字的四邊全被包圍，因此能變成自己的領土。連續十字形的圍城方法還節省不少顏色牌呢！

十字形   連續十字形

錯誤示例

數字只有兩邊或三邊被包圍，都不能變成領土。

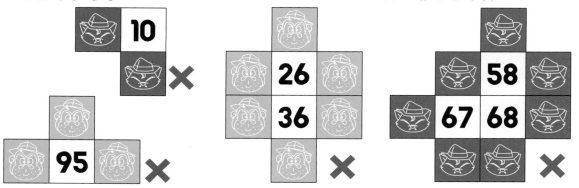

顏色牌及旗幟擺放規則

例：福爾摩斯**對戰**狐格森

規則 1

狐格森不能把顏色牌及旗幟，放在福爾摩斯佔據的位置上。

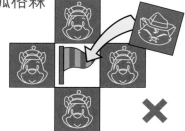

規則 2

吃掉對方的牌？

擺放旗幟的例外方法：

假設福爾摩斯的 3 塊紅色顏色牌，包圍藍色牌。

福爾摩斯放下第 4 塊紅色牌，完全包圍藍色牌，福爾摩斯可用旗幟，疊在藍色牌上代表佔據該位置，建立自己的「十字形」領土。

玩法四 運算四連環 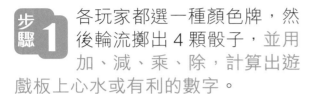 2至4人玩

　　輪流擲骰計算，誰最快令四個數字相連，形成四連環，誰就是勝利者！

 步驟 1　各玩家都選一種顏色牌，然後輪流擲出 4 顆骰子，並用加、減、乘、除，計算出遊戲板上心水或有利的數字。

步驟 2　以直、橫、斜的方式，最快令 4 個數字相連的玩家即勝出！

1	2	3	4	5	6	7	8	9	10
11	12	13	14	15	16	17	18		20
21					26	27		29	30
31	32	33	34	35	36		38	39	40
41	42	43	44	45		47	48	49	50
51	52	53	54	55	56	57	58	59	60
61	62		64	65		67	68	69	70
71	72		74	75	76		78	79	80
81	82		84	85	86	87		89	90
91	92		94	95	96	97	98		100

四連環的模範

12		14	15
22		24	25
32		34	35
42		44	45

直排 ✔

42	43	44	45
62	63	64	65
72	73	74	75

橫排 ✔

	28	29	30
37		39	40
47	48		50
57	58	59	

斜排 ✔

65	66	67	
75	76		78
85		87	88
	96	97	98

斜排 ✔

五連環、六連環、七連環等也可勝出！

14	15	16	17	18	19
24	25	26	27	28	29
34					
44	45	46	47	48	49
54	55	56	57	58	59
64	65	66	67	68	69

五連環 ✔

	42	43	44	45	46
51		53	54	55	56
61	62		64	65	66
71	72	73		75	76
81	82	83	84		86
91	92	93	94	95	

六連環 ✔

在這個遊戲能否取勝全靠運氣，情況較差時，隨時算不出想要的數字。

大家可舉一反三，自創更多的玩法及遊戲規則！

顏色牌

旗幟

請沿虛線向外摺

沿實線剪下

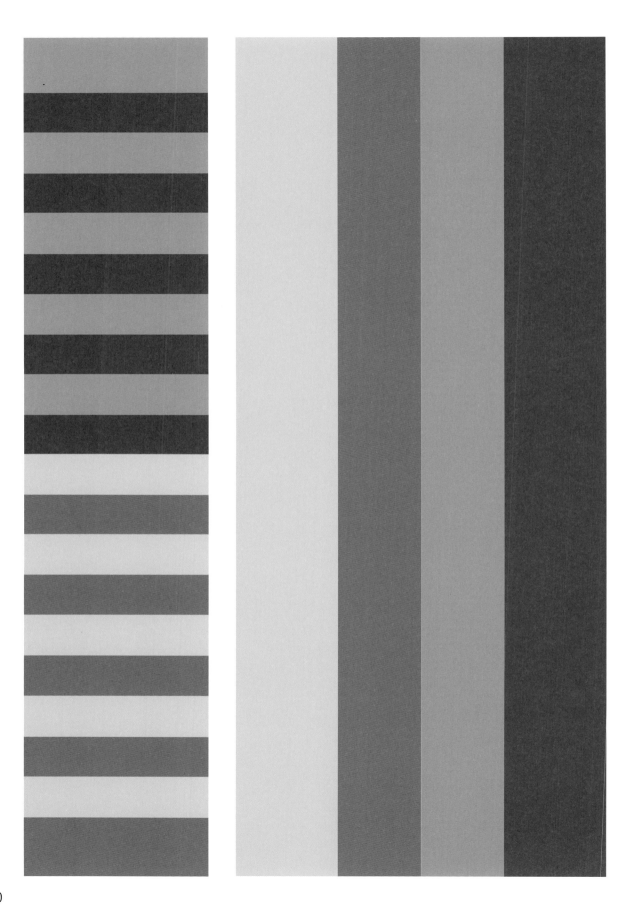

1	2	3	4	5
11	12	13	14	15
21	22	23	24	25
31	32	33	34	35
41	42	43	44	45
51	52	53	54	55
61	62	63	64	65
71	72	73	74	75
81	82	83	84	85
91	92	93	94	95

遊戲板
（左）

骰子

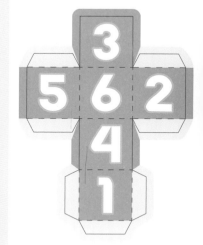

- - - - -
請沿虛線向外摺

——
骰子沿黑色
實線剪下

——
遊戲板沿紅色
實線剪下

黏合處

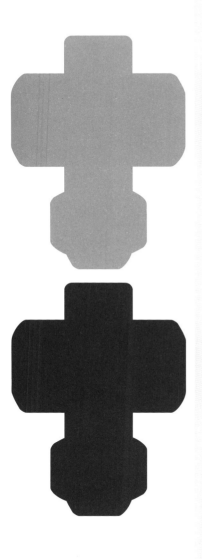

6	7	8	9	10
16	17	18	19	20
26	27	28	29	30
36	37	38	39	40
46	47	48	49	50
56	57	58	59	60
66	67	68	69	70
76	77	78	79	80
86	87	88	89	90
96	97	98	99	100

遊戲板
（右）

骰子

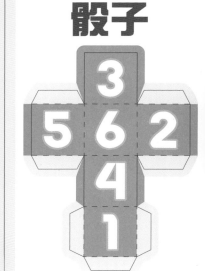

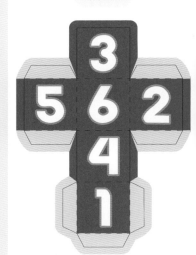

— — — —
請沿虛線向外摺

骰子沿黑色
實線剪下

遊戲板沿紅色
實線剪下

黏合處

巴斯卡與他的計算機

叮叮
來自數學世界的小精靈，擁有進入書本世界的異能。

小凌
小進的同學及好朋友。

小進
小學四年級，求知欲強，卻經常撞板。

巴斯卡
Blaise Pascal（1623-1662）
法國數學家
發明機械計算機

＊巴斯卡：亦有人稱作帕斯卡。

你們在做甚麼呀？

老師今天講解了計算工具的發展。我們的功課是列出各種計算工具的優點和缺點。

漫畫：姜智傑　　劇本：匯識教育創作組

計算工具原來有很多種，像算盤和計算機，背後的運作原理都各有不同呢！

沒錯！古人為了方便計算，用各種方法製造了不同的計算工具，並不斷改良。

好！馬上出發！

叮叮，帶我們去看看發明的過程吧！

贊成！

看着這本書！

啊啊啊！

哇哇哇！

中國 明朝

嗖

很痛啊！

這是甚麼
地方？

這是中國的明朝，
根據《算法統宗》
記載，中國在這個
時代之前，已經
使用算盤了。

看！
那邊有人在
使用算盤呢！

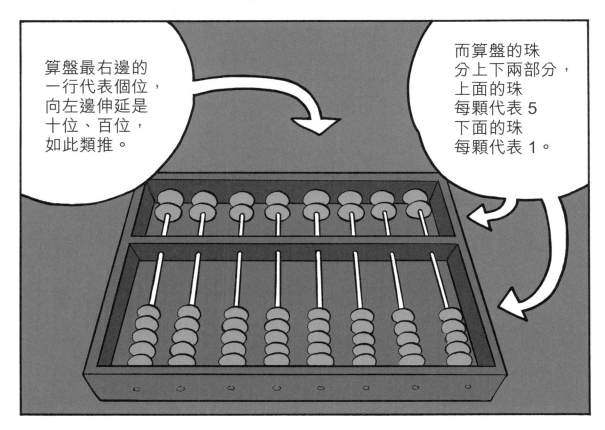

像這樣就代表 837 了！

這個表示數字的方法真方便呢！

用算盤計算加減數的時候像直式一樣要對位，即個位對個位、十位對十位，才可加上或減去珠的數目。算盤也能計算乘數和除數呢！

算盤可以說是東方計算工具的代表呢！

那我們快去看西方的計算工具代表——計算機及其發明人巴斯卡吧！

好！看着這本書！

哇！

呀！

1642 年 法國

你就是巴斯卡嗎？可以給我看看你的計算機嗎？

計算機？甚麼是計算機？

這時的巴斯卡，一直研究幾何，還未發明計算機。

是嗎？

由於巴斯卡的媽媽很早就去世，他們兩父子一直相依為命。

他的爸爸現在是一個稅務官呢！

你有甚麼煩惱嗎？

唉…

爸爸的稅務工作十分辛苦，數目又龐大，很容易出錯，我很想幫助他啊！

你發明一台計算機不就能幫他工作了嗎？

會計算的機器？

對啊！如果有一台機器能代替人手進行計算，就更加輕鬆方便了！

好！我一定要把這個機器製造出來！

巴斯卡共花了3年時間去製作計算機，我們去3年後看看吧！

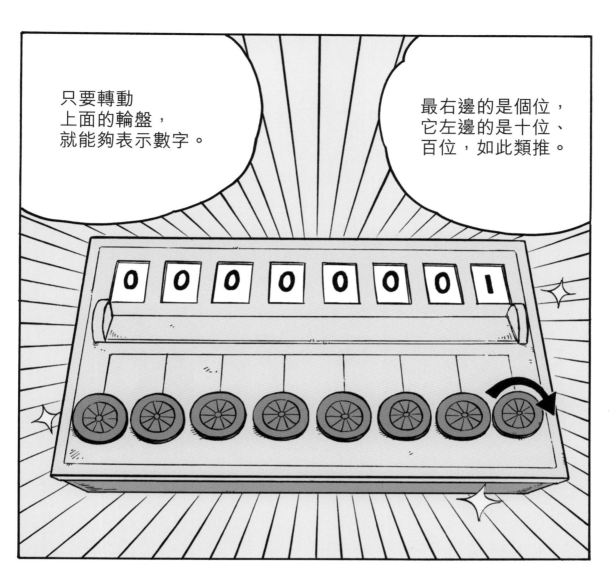

如何用這台機器計算加法？

很簡單，例如 34 + 67。

撥出 34，先從個位 4 算起，

在個位的輪盤上轉動 7 個圈。

但 4 + 7 等於 11，要進位啊，怎辦？

放心吧。

這計算機會自動進位！當個位轉到第 6 個圈時，十位的輪盤便會馬上轉 1 個圈。

然後計算十位，轉動 6 個圈後⋯

百位的輪盤就會自動轉 1 個圈，得出答案 101。

這計算機真特別！

對呢！

我要快點拿這台機算機給爸爸試用一下！

再見！

再見！

巴斯卡真聰明，只花了3年時間就發明出計算機。

雖然巴斯卡發明了世上首台機械計算機，但依賴手動操作，加上經常發生故障，因此並不是十分流行。

那他有沒有繼續改良那台機算機呢？

沒有啊，因為巴斯卡一向醉心於幾何研究，他只是為了幫助爸爸才發明計算機，但他十分為此自豪呢！

真可惜！

小進的家

原來計算機初期只能計算加減數呢！

巴斯卡的計算機功能簡單，卻為後世作出很大的貢獻！

對啊！電腦也是參考它來發明的！

甚麼？電腦跟計算機有關的嗎？

今天老師不是說過了嗎？還是你上課時在發白日夢啊？

啊？嘻嘻…

本集完

巴斯卡的一生

邁向數學之路

巴斯卡在 1623 年的**法國**出生，他的父親精於數理，但希望兒子先學好語文，所以**禁止**年幼的巴斯卡接觸數學。

直到巴斯卡 12 歲時，無意中翻閱父親的數學書籍，並展現對**幾何**的興趣及天分，才踏上研究數學的生涯。

一代數學家的殞落

32 歲的巴斯卡在嚴重的馬車意外中大難不死，他認為這是神的**庇佑**，於是**放棄**數學，轉研神學，只在牙痛時思考數學問題以減輕痛楚。

後來，巴斯卡常常頭痛，姊姊去世後，悲傷使他的精神狀況**日趨惡化**，行為變得**極端**，當他覺得自己不虔誠時，甚至會刺痛自己。

他終年僅 39 歲，結束了短暫又**傳奇**的一生，不過，他發明的計算機和數學理論已為後世作出很大的貢獻。

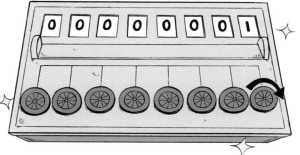

加減乘除・四則運算

速算法

加減乘除和四則運算是日常生活最常用算法，這裡介紹了速算方法及計算順序，學懂全部的話，就能計算得快捷又準確！

加法　❶ 整 10 計算法

見右示例，先找出加起來等於 10 的數值：5 + 5、7 + 3、2 + 8，最後剩餘 6，如能記下筆記則更能輔助速算。

$$5 + 6 + 7 + 5 + 2 + 3 + 8$$
$$= 10 + 10 + 10 + 6$$
$$= 36$$

在雙位數加法上，先將數字分成個位和十位兩組，運用整 10 計算法，分別求出個位和十位的和：

這樣想比較容易計算。

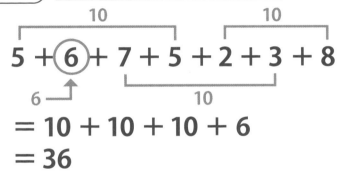

```
百 十 個
   9 8
   3 6
   1 4
   7 4
 + 2 2
```

然後

個位的和是 24

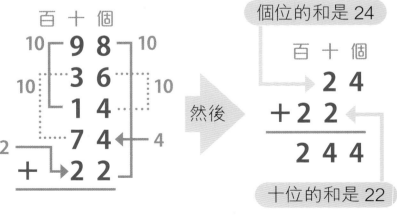

```
  百 十 個
      2 4
 +  2 2
 ─────────
    2 4 4
```

十位的和是 22

兩者相加就速算到 244

加法 ② 分拆再湊整數計算法

$$\underbrace{5 + 6 + 5 + 7}_{10} + \textcircled{7}$$ 分拆 ⬅ ➡ $$5 + 6 + 5 + 7 + \underbrace{(3+4)}_{}$$

若最初只能找到少量「整 10」，可試試將其餘的數值「分拆」，再併合為 10 計算。

$$= 10 + 10 + 10$$
$$= 30$$

加法 ③ 加減變成整數計算法

試計算 **78 + 80 + 81 + 75 + 82**

百	十	個
	7	8
	8	0
	8	1
	7	5
+	8	2
3	9	6

=

百	十	個		
	8	0	−	2
	8	0	+	0
	8	0	+	1
	8	0	−	5
+	8	0	+	2
4	0	0	−	4

用**四捨五入法**都能進化左方 5 個數為 80，所以可試將每一個數視為 80，再加或減成為 80 的補數，最後算到答案 396。

試計算 **303 + 298 + 75 + 112**

百	十	個
3	0	3
2	9	8
	7	5
+1	1	2
7	8	8

=

百	十	個		
3	0	0	+	3
3	0	0	−	2
	8	0	−	5
+1	0	0	+	12
7	8	0	+	8

若四捨五入出現不同的整數，也不打緊！用相同的整數計算法概念，也可速算出答案。

79

減法 ① 整數計算法

試計算
423 － 298

在減法中，同樣可用加法的「整數計算法」。

```
  4 2 3        4 2 3
－ 2 9 8      － 3 0 0
              ─────
              1 2 3
            ＋     2
            ─────
              1 2 5
```

所以可改為 ＝ **(423 － 300) ＋ 2**

298 是最接近的三位整數 300 減 2，先將 423 － 300 再補 2（即＋2）即可。

試計算 **3723 － 992 － 1996**

可改為 **(3723 － 1000 － 2000) ＋ 8 ＋ 4**

在多於兩個數字相減之下，同樣可用整數計算法啊！

```
  3 7 2 3       3 7 2 3        3 7 2 3
－   9 9 2    － 1 0 0 0     － 3 0 0 0
－ 1 9 9 6    － 2 0 0 0       ───────
                            7 2 3
               ＋     8    ＋   1 2
               ＋     4      ───────
                              7 3 5
```

「跟最接近四位整數」角度，992 是 1000 減 8，1996 是 2000 減 4，因此將 3723 － 1000 － 2000 再補 8 和 4（即＋12），就知答案。

減法 ② 分拆再湊數計算法

試計算 **85 － 38**

計算 100 之內減法，可將減數分拆為跟被減數個位相同數字，然後再減餘下數，這樣心算會更快。

可改為 **85 － 35 － 3 ＝ 50 － 3**
$$= 47$$

38 分拆成「－ 35 － 3」，－ 35 跟 85 相對，可輕鬆計出答案是 50，再減餘下的 3 即可。

減法 ③ 補數計算法

大家計算**「退位減數」**，往往在退位上煩惱，拖慢計算速度。
若用這個速算法，就可快一點了！

試計算 **827 － 358**

先將百位及百位以下數字分隔。

百 ┃ 十 個
8 ┃ 2 7
－3 ┃ 5 8
━━━━━━

3 ＋ 1 ＝ 4 ┊ 將百位加上1，變成4。

100 － 58 ＝ 42

因百位加上1，所以用100減十位及個位的數值。

百 ┃ 十 個
8 ┃ 2 7
－4 ┃ ＋4 2
━━━━━━
4 ┃ 6 9   答案 469

這樣計算就避開了退位，心算快多了！

試計算 **421 － 298**

同樣將百位及百位以下數字分隔起來。

百 ┃ 十 個
4 ┃ 2 1
－2 ┃ 9 8
━━━━━━

2 ＋ 1 ＝ 3 ┊ 將百位加上1，變成3。

100 － 98 ＝ 2

因百位加上1，同樣用100減十位及個位的數值，即 100 - 98，等於 2。

百 ┃ 十 個
4 ┃ 2 1
－3 ┃ ＋0 2
━━━━━━
1 ┃ 2 3

98 擁有十位及個位，但2只有個位，筆算時可補上0為02，減少看錯。
另外，這個補數計算法只適用於要退位的減法啊！

乘法 ❶ 加減變成整數計算法

試計算 **13 × 19**

$$13 \times (20 - 1)$$
$$= 13 \times 20 - 13 \times 1$$
$$= 260 - 13$$
$$= 247$$

這是在不相同的兩位數相乘，常用心算法之一，概念跟前述的「加法」部分類似，可用「四捨五入法」決定分拆為加或減。

試計算 **27 × 32**

$$27 \times (30 + 2)$$
$$= 27 \times 30 + 27 \times 2$$
$$= 810 + 54$$
$$= 864$$

乘法 ❷ 2 位數自乘

試計算 **54 × 54** 或 **54^2**

在兩位數自乘（即平方）時，也可用乘法❶速算法。

```
   十 個
      5 4
  ×   5 4
  ─────────
      1 6
```

$$4 \times 4 = 16$$

先將 54 的個位自乘，即 4×4 的積寫在最末二位。

```
   千 百 十 個
          5 4
  ×       5 4
  ─────────────
    2 5 1 6
```

$$5 \times 5 = 25$$

再將 54 的十位自乘，即 5×5 的積寫在 16 的左邊。

```
   千 百 十 個
          5 4
  ×       5 4
  ─────────────
    2 5 1 6
  +     4 0 0
  ─────────────
    2 9 1 6
```

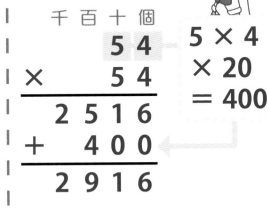

$$5 \times 4$$
$$\times 20$$
$$= 400$$

然後把十位 × 個位 ×20，即 5×4×20 的積寫在 2516 的下方。最後，把 400 和 2516 相加，得出答案 2916。

換角度，試計算需要「補 0」的例子吧！

試計算
32 × 32 或 32²

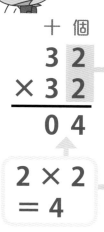

十 個

	3	2
×	3	2
	0	4

2 × 2 = 4

先將 32 的個位自乘，即 2×2 的答案積寫在最末二位，並在 4 前補 0，變成 04，避免出錯。

千 百 十 個

		3	2
×		3	2
	9	0	4

3 × 3 = 9

再將 32 的十位自乘，寫在 04 的左邊。

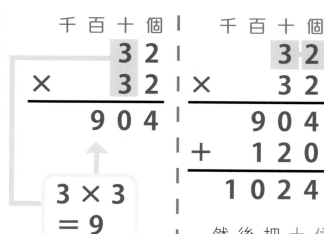

千 百 十 個

		3	2
×		3	2
	9	0	4
+	1	2	0
1	0	2	4

3 × 2
× 20
= 120

然後把十位 × 個位 × 20，即 3×2×20 的積寫在 904 的下方。最後，把 904 和 120 相加，得出答案 1024。

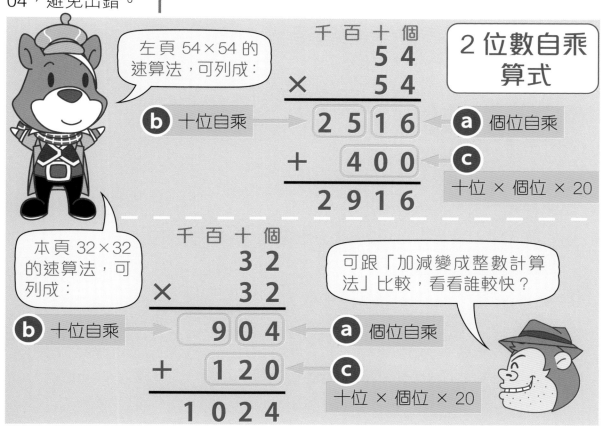

左頁 54×54 的速算法，可列成：

2 位數自乘算式

千 百 十 個

```
      5 4
×     5 4
```

ⓑ 十位自乘 → 2 5 | 1 6 ← ⓐ 個位自乘
+ 4 0 0 ← ⓒ
十位 × 個位 × 20
= 2 9 1 6

本頁 32×32 的速算法，可列成：

千 百 十 個

```
      3 2
×     3 2
```

ⓑ 十位自乘 → 9 | 0 4 ← ⓐ 個位自乘
+ 1 2 0 ← ⓒ
十位 × 個位 × 20
= 1 0 2 4

可跟「加減變成整數計算法」比較，看看誰較快？

乘法 ❸ 十位或以上相同的數字

除了前述的「加減變成整數計算法」，當某兩個數字相乘，若遇上十位、百位或以上數字相同，也可試用以下的速算法。

若十位或以上數字**不相同**，可簡單用乘法❶「加減變成整數計算法」。

試計算 **33 × 31**

分析：個位數字不同，但個位以外（即十位）都是 3。

```
  十 個
   3 3
 × 3 1
 ─────
   0 3

 3 × 1
 = 3
```

先將兩數的個位相乘，補上 0 後變成 03，對齊個位寫下。

```
 千 百 十 個
     3 3      被乘數 33
 ×   3 1      乘數的個位 1
 ─────
     0 3      個位以外相
 1 0 2        同的數 3
```

(33 + 1) × 3 = 102

計算（被乘數 + 乘數的個位）× 個位以外相同的數，再左移 1 個數位寫下答案。

```
 千 百 十 個
     3 3
 ×   3 1
 ─────
     0 3
 1 0 2
 ─────
 1 0 2 3
```

最後將個、十、百、千四組數垂直加起來，得出答案。

可以記下這個算式步驟！

十位或以上相同的數字 乘法算式

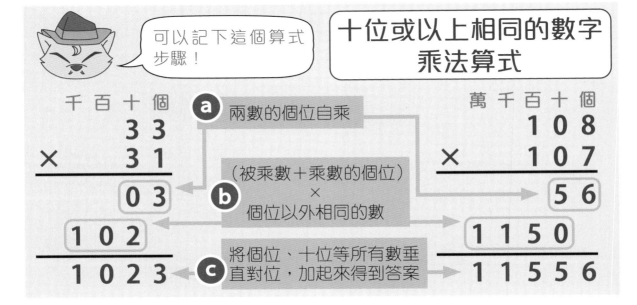

```
 千 百 十 個
     3 3
 ×   3 1
 ─────
     0 3
 1 0 2
 ─────
 1 0 2 3
```

a 兩數的個位自乘

b （被乘數＋乘數的個位）× 個位以外相同的數

c 將個位、十位等所有數垂直對位，加起來得到答案

```
 萬 千 百 十 個
       1 0 8
 ×     1 0 7
 ─────
         5 6
   1 1 5 0
 ─────
   1 1 5 5 6
```

再計算 **108 × 107**

不同的三位數相乘：這兩個數字的個位不同，但個位以外（即十位及百位）都是 10。

百	十	個
1	0	**8**
× 1	0	**7**
	5	6

8 × 7 = 56

先將兩數的個位相乘，將答案對齊個位寫下。

萬	千	百	十	個
		1	**0**	**8**
×		**1**	**0**	**7**
			5	6
	1	1	5	0

被乘數 108
乘數的個位 7
個位以外相同的數 10

(108 + 7) × 10 = 1150

計算（被乘數 + 乘數的個位）× 個位以外相同的數，再左移 1 個數位寫下答案。

萬	千	百	十	個
		1	**0**	**8**
×		**1**	**0**	**7**
			5	6
	1	1	5	0
1	1	5	5	6

最後將個位至萬位五組數垂直加起來，得出答案。

乘法 ④ 5 字尾數的自乘

遇上 5 字尾數的乘法怎樣辦？其實跟之前方法類似呢！

承接「2 位數自乘」，當一個尾數是 5 的數目自乘（即平方），不論數值有多大，都可用這個速算法。今次試挑戰三位數吧！

試挑戰 **265 × 265** 或 **265²**

萬	千	百	十	個
	2	6	5	
×	2	6	5	
7	0	2	2	5

個位數 5 自乘

5 × 5 = 25

相乘的積寫在最末二位。

餘下的數位 × 餘下的數位 + 1

26 × (26 + 1)

將結果 702 寫在百位、千位及萬位上，得出答案 70225。

這計算法比「加減變成整數計算法」更快！

除法

計算除法可將除法變為乘法，見下方示例。這概念也可演進為整除 25 的計算法：

例如 $100 \div 10$

$$100 \div (20 \div 2)$$

$$= 100 \div \frac{20}{2}$$

倒數

$$= 100 \times \frac{2}{20}$$

$$= 100 \times 2 \div 20$$

$$= 100 \div 20 \times 2$$

一則除數可擴為「某數值除括號內某算式」，例如 $100 \div 10$，擴為 $100 \div (20 \div 2)$，$20 \div 2$ 更可寫成分數 $\frac{20}{2}$，算式成為 $100 \div \frac{20}{2}$。

以上算法可再倒數（顛倒分子與分母），除法變乘法，算式變為 $100 \times \frac{2}{20}$。最後變成 $100 \div 20 \times 2$，答案是 10。

簡化方法

思考 $100 \div (20 \div 2)$ 同類算式，可拆去括號，並把括號內的除號變乘號，直接計算。

整除 25、50 的計算法

簡單一則除法，搞得這麼複雜？

當除以 25、50 的時間，這方法較容易，可幫助心算啊！

與 25 有關的除法

試計算 $875 \div 25$

$$= 875 \div (100 \div 4)$$
$$= 875 \div 100 \times 4$$
$$= 875 \times 4 \div 100$$
$$= 3500 \div 100$$
$$= 35$$

把 25 看成 $100 \div 4$，注意此時算式由左至右算，即先乘、後除，才有正確答案。

除 125 時也可用這個方法。以下除 50 的方法也一樣，大家可研究啊！

與 50 有關的除法

試計算 $3450 \div 50$

$$= 3450 \div (100 \div 2)$$
$$= 3450 \div 100 \times 2$$
$$= 3450 \times 2 \div 100$$
$$= 6900 \div 100$$
$$= 69$$

四則運算 大混亂？

怎樣算 先乘除、後加減

一子錯，滿盤皆落索？
雖然大家知道「先乘除後加減」，但不少人起步就算錯，即使心算怎樣快速準確，整條算式答案都是錯！

一般人基本了解在四則運算上要「先計乘除」，然後「再計加減」，然而有時忘了還有「括號的功能」，甚至「只有乘除」或「只有加減」的算式上，怎樣順序計算？

試計算 $6 \div 2 \times (1+2)$

是 **1**？還是 **9**？

$6 \div 2 \times (1+2)$ ← 如有括號，優先計算括號內部分

$= 6 \div 2 \times 3$ ← 只有乘除或加減，**從左到右起計算**

$= 3 \times 3$

$= 9$ ✔

硬背「先乘後除」，**就計錯了！** ✘

$= 6 \div 2 \times 3$
$= 6 \times 6$
$= 1$

試計算 $269 - 178 + 31$

你會計錯是 **60** 嗎？

$269 - 178 + 31$
$= 91 + 31$
$= 122$ ✔

只有乘除或加減，**從左到右起計算**

$269 - 178 + 31$
$= 269 - 209$
$= 60$ ✘

斷章取義「後加減」，誤會為「先加後減」，也計錯了。

$269 - 178 + 31$
$= 269 + 31 - 178$
$= 300 - 178$
$= 122$

為何左方調換位置的「整數計算法」沒有計錯？

即使 269 由「被減數」變成「被加數」，但用對了「從左到右」計算原則，所以最終答案正確！

哼！就讓我看看你如何應用加減乘除

M 博士又來找我們麻煩了！別擔心，只要運用學校所教的知識和本書的速算法，M 博士的題目自然**迎刃而解**！

基礎篇

1 小兔子一時大意，算錯了下面的數學題，你能幫他改正嗎？

答案：

$$\begin{array}{r} 3\,2\,7\,4 \\ -\ 2\,9\,3\,8 \\ \hline 1\,3\,4\,6 \end{array}$$

2 以下是一條正確的直式，但 M 博士刷走兩個數字，請補回正確的數字。

$$\begin{array}{r} 1\,2\,7\,5 \\ +\ 4\,\square\,8\,2 \\ \hline 5\,6\,\square\,7 \end{array}$$

3 M 博士有集郵的習慣，他原有郵票 2414 枚。他把其中的 1435 枚送了給朋友，他現在剩下多少枚郵票呢？

答案：

4 愛麗絲買了一包糖果，內有 48 顆糖果，她平均分給 4 個朋友，每人會得到多少顆糖果呢？

答案：

5 狐格森搬家了,買了一些新的電器,包括洗衣機、冰箱和藍光 DVD 機,參照圖中的價錢,他總共花了多少錢呢?

答案:

冰箱
$2008

藍光 DVD 機
$998

洗衣機
$4999

6 李大猩很喜歡看漫畫,剛好遇到每本特價 $28,所以買了 7 本,他該付多少錢呢?

答案:

7 福爾摩斯共有 575 份查案記錄,一層貯物架能放 25 份查案記錄,他需要多少層貯物架呢?

答案:

8 華生到去玩具店買聖誕禮物給小孩子,他買了兩盒模型車和一隻鯊魚布偶,他該付多少錢呢?

答案:

水槍
$59

模型船
$329

小狗布偶
$118

模型車
$278

小兔布偶
$178

鯊魚布偶
$158

9 遊戲卡一包有 6 張,小兔子瘋狂地買了 47 包,他分了 163 張給小樹熊後,還剩下多少張遊戲卡呢?

答案:

10 福爾摩斯光顧過的亞發酒館設有倉庫。倉庫存放 6437 瓶啤酒,賣出 1355 瓶後,又運來 2500 瓶,現在倉庫內有啤酒幾瓶?

答案:

哼！就讓我看看你如何**應用加減乘除**

幫幫李大猩吧！

李大猩新買的帽子被 M 博士搶走了！只要答對以下兩條四則運算，M 博士就會歸還帽子。

草稿欄

注意！
先計算括號內的算式。

1 355 ＋（17×8 － 23）

答案：

2 〔120×（8 ＋ 7）〕÷2

答案：

3 愛麗絲的學校舉辦了一次步行籌款，參加人數有 34 人，共捐款 $850，每人平均的捐款是多少呢？

答案：

4 果樹園今個星期賣出 24 箱蘋果。如果每箱有 5 打蘋果，果樹園賣出蘋果多少個？
（註：1 打等於 12 個蘋果）

答案：

5 狐格森一天上下班的車資為 $11，他今個月上班 19 天，他今個月的交通費是多少？

答案：

6 倫敦舉辦電影節，每部電影的戲票特價 $35，如果福爾摩斯想看齊全部 35 部電影，他要付多少錢？

答案：

草稿欄

7 新年時，愛麗絲收到 14 封 $20 的利是，5 封 $50 的利是 和 3 封 $100 元 的 利 是，她總共收到多少利是錢？

答案：

8 在一次數學測驗中，答對一條題目有 2 分，答錯一條扣 1 分，測驗總共有 50 條題目，而班尼答對了 43 條。如果他得到 80 分或以上，媽媽就會一份禮物給她，他這次測驗後能得到獎勵嗎？

答案：

9 華生報名濕地公園一日旅行團，當日共有 6 個團，每團有 42 名參加者和 1 名導遊。每輛旅遊巴只能載 43 個乘客，要多少輛旅遊巴才能載所有人呢？

答案：

10 在聖誕聯歡會中，老師訂購了 10 打三文治，平均分給全班 39 個同學後，還剩多少件三文治呢？（註：1 打等於 12 件）

答案：

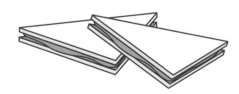

哼！就讓我看看你如何
應用加減乘除

要小心驗算啊！

少年偵探隊在玩「四則運算桌上遊戲」的運算輪流轉。

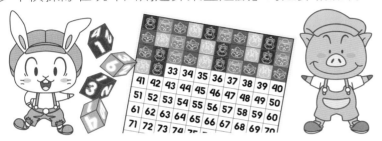

草稿欄

「運算輪流轉」玩法：
運用 ＋ － ×÷ 及括
號，組成算式，計算
出指定答案。可任意
調動數字位置。
詳細玩法見第 54 頁
和第 55 頁。

1 小兔子擲出 1、2、4、1，請列出算式，算出 13。

答案：

2 小胖豬擲出 1、3、4、6，請列出算式，算出 14。

答案：

3 狐格森幫媽媽辦理入院手續，　答案：
填表時要填媽媽的身份証號碼，
但他忘記了括號內的核對碼，
請幫他計算正確的核對碼。

病人資料
姓名：**狐媽媽**
身份證號碼：　*B246802(？)

＊此身份証號碼純屬虛構，只作計算練習題之用。

4 在超級市場消費每 $20 可獲一個印花，房東太太已儲了 63 個印花，她再花了 $835 購物，現在她有多少個印花？

答案：

草稿欄

5 承上題，每 25 個超級市場印花可以換取一套消毒防疫包，房東太太可以換多少套防疫包？

答案：

6 與福爾摩斯同年代的維多利亞女皇在 1819 年 5 月 24 日誕生，她在 1870 年的壽辰是星期二，10 年後她的壽辰是星期幾呢？

答案：

7 承上題，維多利亞女皇誕生的那一天又是星期幾呢？

答案：

8 李大猩在學生時代參加過欖球聯賽，參賽學校有 64 間，聯賽以淘汰制的形式進行，還包括一場季軍戰。這次聯賽要進行多少場比賽呢？

答案：

《大偵探福爾摩斯⑬吸血鬼之謎》提及我在球場上的英姿！

9 如果聯賽採取單循環制，總共要進行多少場比賽呢？

答案：

10

28th July Sunday		
本日收入		$500
支出分類	項目	金額
食物	早餐	$18
	午餐	$36
文具	顏色筆一盒	$94
玩具	模型	$82
衣服	褲	$79
本日支出		$?

這是小兔子今天的收支表，他今天的總支出是多少呢？

答案：

① 小兔子忘記了退位才算錯，正確答案是：

$$
\begin{array}{r}
3\;2\;7\;4 \\
-\;2\;9\;3\;8 \\
\hline
3\;3\;6
\end{array}
$$

② M 博士刷走的數字分別是：

$$
\begin{array}{r}
1\;2\;7\;5 \\
+\;4\;\boxed{3}\;8\;2 \\
\hline
5\;6\;\boxed{5}\;7
\end{array}
$$

③ M 博士剩下的郵票數目 = 2414 − 1435
　　　　　　　　　　　 = 979 枚

④ 每人分得的糖果數目 = 48÷4
　　　　　　　　　　 = 12 顆

⑤ 狐格森買電器的總金額 = 4999 + 2008 + 998
　　　　　　　　　　　 = 8005
同時，亦可參考第 80 頁的整數計算法計算：

$$
\begin{array}{rr}
5\;0\;0\;0 & -1 \\
2\;0\;0\;0 & +8 \\
+\;1\;0\;0\;0 & -2 \\
\hline
8\;0\;0\;0 & +5
\end{array}
\qquad
\begin{array}{r}
4\;9\;9\;9 \\
+\;\;\;\;\;8 \\
+\;\;\;9\;9\;8 \\
\hline
8\;0\;0\;5
\end{array}
$$

⑥ 李大猩該付金額 = 28×7
　　　　　　　　 = 196

⑦ 可參考第 86 頁「與 25 有關的除法」來計算：
福爾摩斯需要的貯物架層數 = 575÷25
　　　　　　　　　　　　 = 575÷(100÷4)
　　　　　　　　　　　　 = 575÷100×4
　　　　　　　　　　　　 = 575×4÷100
　　　　　　　　　　　　 = 2300÷100
　　　　　　　　　　　　 = 23 層

⑧ 華生該付金額 = 278×2 + 158
　　　　　　　　 = 714

⑨ 小兔子剩下的遊戲卡數目 = 47×6 − 163
　　　　　　　　　　　　 = 282 − 163
　　　　　　　　　　　　 = 119 張

⑩ 現在倉庫內的啤酒數目 = 6437 − 1355 + 2500
　　　　　　　　　　　 = 5082 + 2500
　　　　　　　　　　　 = 7582 瓶

① 355 + (17×8 − 23) = 355 + (136 − 23)
　　　　　　　　　　 = 355 + 113
　　　　　　　　　　 = 468

② 〔120×(8 + 7)〕÷2 = 〔120×15〕÷2
　　　　　　　　　　 = 1800÷2
　　　　　　　　　　 = 900

③ 每人平均捐款 = 850÷34
　　　　　　　 = 25

④ 果樹園共賣出蘋果 = 24×5×12
　　　　　　　　　 = 120×12
　　　　　　　　　 = 12×12×10
　　　　　　　　　 = 144×10
　　　　　　　　　 = 1440 個

⑤ 狐格森今個月的交通費 = 11×19
　　　　　　　　　　　 = 209
可參考第 84 頁「十位或以上相同的數字」速算法：

$$
\begin{array}{r}
1\;1 \\
\times\;\;1\;9 \\
\hline
0\;9 \quad\leftarrow\;1\times9 \\
+\;2\;0 \quad\leftarrow\;(11+9)\times1 \\
\hline
2\;0\;9
\end{array}
$$

⑥ 福爾摩斯要付的戲票金額 = 35×35
　　　　　　　　　　　　 = 1225
可參考第 85 頁「5 字尾數的自乘」計算：

$$
\begin{array}{r}
3\;5 \\
\times\;\;3\;5 \\
\hline
\boxed{1\;2}\;\boxed{2\;5}
\end{array}
\qquad 5\times5
$$

$$3\times(3+1)$$

⑦ 愛麗絲的利是錢共 = 14×20 + 5×50 + 3×100
　　　　　　　　　 = 280 + 250 + 300
　　　　　　　　　 = 830

8 班尼的測驗得分 $= 43 \times 2 - [(50 - 43) \times 1]$
$= 86 - [7 \times 1]$
$= 86 - 7$
$= 79$

因此，班尼不能得到媽媽的獎勵。

9 共要旅遊巴 $= 6 \times (42 + 1) \div 43$
$= 6 \times 43 \div 43$
$= 6$ 輛

10 $12 \times 10 \div 39 = 120 \div 39$
$= 3 \cdots 3$

因此，平均分給各同學後，還剩下 3 件三文治。

M 博士向你下戰書 挑戰篇

1 用以下的算式就能計算出 13。
$4 \times (2 + 1) + 1$

2 以下兩種算式都能計算出 14。
$3 \times 6 - 4 \times 1$
$6 \times 3 \times 1 - 4$

3 參考第 22 頁的身份證號碼核對法，首個英文字 B
要轉成 11，再作以下運算：
$58 \times 9 + 11 \times 8 + 2 \times 7 + 4 \times 6 + 6 \times 5 +$
$8 \times 4 + 0 \times 3 + 2 \times 2$
$= 522 + 88 + 14 + 24 + 30 + 32 + 0 + 4$
$= 714$

然後，將總和除以 11，即：
$714 \div 11 = 64 \cdots 10$

最後用 11 減餘數 10，得出括號內的核對碼為 1。

4 房東太太購物後可獲印花 $= 835 \div 20$
$= 41 \cdots 15$
現在她共有印花 $= 63 + 41$
$= 104$ 個

5 房東太太可換取防疫包 $= 104 \div 25$
$= 4 \cdots 4$
她可換取 4 套防疫包。

6 維多利亞女皇在 1870 年的生日是星期二，10 年
後（1880 年）即加 10 天。
由於期間跨過 3 個閏日：1872、1876 和 1880 年，
須再加 3 天。總共加 13 天。

$(10 + 3) \div 7 = 1 \cdots 6$

餘數是 6，因此，她在 1880 年的生日是星期二加
上 6 天，即是星期一。

7 女皇於 1819 年 5 月 24 日出生。
她在 1870 年的壽辰是星期二，這年她的年齡是：
$1870 - 1819 = 51$ 歲
要計算 51 年前是星期幾，就要減 51 天。
由於這 51 年內已跨過 13 個閏日（1820、
1824……1864、1868），因此再減 13 天。

$(51 + 13) \div 7 = 64 \div 7$
$= 9 \cdots 1$

餘數是 1，因此，她出生那天是星期二減 1 天，即
是星期一。

8 參考第 30 頁的淘汰制計算方法：
聯賽需進行的比賽場數 $= (64 - 1) + 1$
$= 64$

9 參考第 28 頁的單循環制計算方法：
比賽場數 $= [64 \times (64 - 1)] \div 2$
$= [64 \times 63] \div 2$
$= 2016$

10 小兔子今天的總支出 $= 18 + 36 + 94 + 82 + 79$
$= 309$
可參考第 78 頁的整 10 計算法：

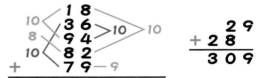

你們能通過這些挑戰嗎？

95